# An Lacha Bheag i bhFaiche Stiabhna

Muriel O'Connor

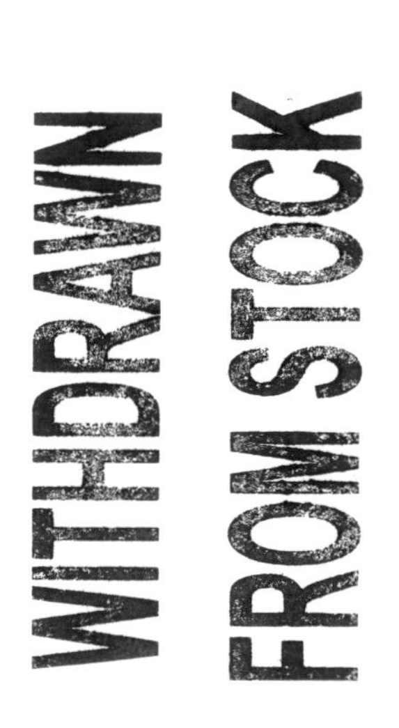

Paddy Malone
a mhaisigh

*Oiriúnach do pháistí ó 6 bliana go 9 mbliana d'aois*

Baile Átha Cliath

Bhí lacha bheag ina cónaí i bhFaiche Stiabhna i lár chathair Bhaile Átha Cliath an bhliain seo caite. Lacha bheag dheas ba ea í ach bhí sí an-bhrónach inti féin.

Ba chuma cé chomh deas is a bhí a cairde léi nó cé mhéad sólaistí a thug daoine cineálta di bhí sí chomh brónach céanna i gcónaí.

‘Cén brón atá ort?’ a d’fhiafraigh a Mamaí di lá. ‘Nach bhfuil an ghrian sa spéir agus neart le hithe agat?’

‘Tá mé bréan den saol anseo,’ arsa an lacha bheag. ‘Ní théim in áit ar bith riamh.’

‘Tuigim,’ arsa a máthair. ‘Níl tú sásta anseo. Tá fonn bóthair ort.’

‘Ba mhaith liom an chathair a fheiceáil,’ arsa an lacha bheag. ‘Ba mhaith liom an tír ar fad a fheiceáil. Ba mhaith liom an domhan mór a fheiceáil,’

‘Ach tá tú i bhfad ró-óg fós,’ arsa a máthair. ‘Níl tú in ann eitilt i gceart fós. Nuair a thiocfaidh an geimhreadh beimid ag imeacht go háit éigin níos teo.’

Ach ní raibh an lacha bheag sásta leis an gcaint sin. Cúpla oíche ina dhiaidh sin bheartaigh sí ar éalú amach gan fhios.

D'fhan sí go dtí go raibh na lachain eile ina gcodladh. Amach léi idir na ráillí ansin agus trasna an bhóthair. Bhí gach áit an-chiúin. Ní raibh bus ná leoraí thart agus gan ach corrcharr le feiceáil.

Shiúil sí síos Sráid Ghrafton – í ag luascadh ó thaobh go taobh – agus í ag déanamh iontais de na tithe móra. Dar léi bhí sí ar a bealach go dtí lár na cathrach.

Cé nach raibh eolas na slí aici d'éirigh léi Coláiste na Tríonóide a bhaint amach. Níorbh fhada ina dhiaidh sin go bhfuair sí boladh láidir na Life.

Bhí corrdhuine ag siúl abhaile agus stán siad le hiontas ar an lacha bheag. Ach níor chuir aon duine isteach uirthi. Ba léir dóibh go raibh deifir uirthi.

Bhí sceitimíní ar an lacha bheag. Bhí sí mar a bheadh sí ar meisce. Lean sí uirthi gur bhain sí an Life féin amach.

Lig sí scréach áthais aisti.

'Hurá!' ar sise. 'Seo é an saol ceart,' agus d'eitil sí in airde ar bhalla liath na habhann.

Ba bhreá ar fad an radharc a bhí os a comhair amach faoi shoilse na cathrach – an abhainn mhór ag síneadh uaithi ar clé agus ar dheis. Bhí an taoide istigh agus boladh an tsáile san aer.

D'fhéach sí ar an abhainn agus ar na foirgnimh bhreátha ar dhá thaobh na habhann. Bhí gliondar ar an lacha bheag.

Leis sin chonaic sí éan bán ag eitilt aníos an abhainn. Stán sí air.

'Mo léan,' ar sise léi féin, 'nach bhfuil mé in ann eitilt ar nós an éin álainn sin.'

Ach faraor! Ní raibh inti ach lacha bheag siúil go fóill, ar aon nós.

Thuirling an t-éan álainn – faoileán bán a bhí ann – píosa beag uaithi ar an mballa.

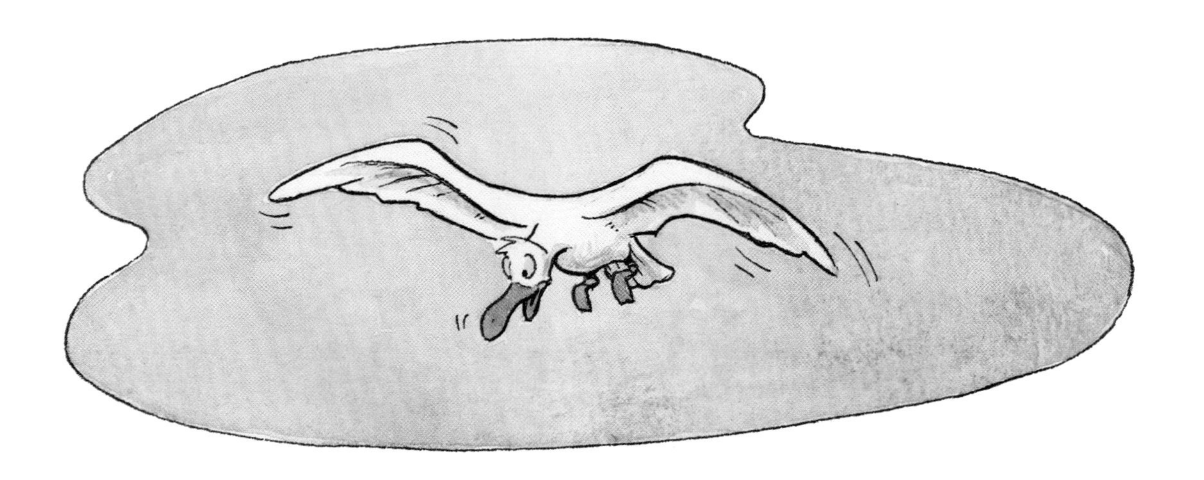

‘Conas tá tú, a lacha bheag?’ arsa an faoileán.

‘Ó, is trua nach faoileán mé,’ arsa an lacha bheag go brónach. Ba ghearr go raibh sí ag insint a cuid trioblóidí go léir don fhaoileán.

‘Nach tú an lacha bheag gan chiall,’ arsa an faoileán.

‘Ach tá saol iontach agatsa,’ arsa an lacha bheag.

‘Saol iontach!’ arsa an faoileán. ‘Is léir nach dtuigeann tú dada faoin saol. Bíonn saol crua agamsa. Téann sé dian orm mo dhóthain a fháil le hithe. Níl oiread is fíorchara amháin agam – cara a bheadh ag cuimhneamh orm i gcónaí.’

‘Beidh mise mar chara agat i gcónaí,’ arsa an lacha bheag.

Chaith siad beirt tamall fada ag comhrá agus ansin thit siad ina gcodladh le hais a chéile. Ina codladh di bhí brionglóid bhreá ag an lacha bheag.

Bhí saol nua roimpi amach. Bheadh sí ag snámh sa Life gach lá. Rachadh sí amach ar an bhfarraige. B'fhéidir go n-iarrfadh an faoileán uirthi teacht leis go hOileán Mhanann nó go dtí an Bhreatain Bheag go fiú. Nach aici a bheadh na scéalta dá Mamaí agus dá comrádaithe!

Ach tháinig deireadh lena cuid brionglóidí go tobann.

'Aire duit!' a scréach an faoileán. Cad a bhí ann ach madra agus é ar tí léim ar an mballa. Shleamhnaigh an lacha bheag uaidh isteach san abhainn. Lean an madra í. Shnámh an lacha léi gur bhain sí an staighre amach. Cé go raibh sí scanraithe d'éirigh léi an balla a bhaint amach arís.

Ach níor fhan an lacha bheag le slán a fhágáil ag a cara. Thug sí do na boinn é agus a hanáil i mbarr a goib.

Bhí an chathair ciúin go maith fós. Agus í ag cúinne na sráide d'fhéach an lacha bheag siar. Ní raibh an madra le feiceáil. Ach cá bhfios! B'fhéidir go raibh madraí eile ag siúl thart.

Bhí na cosa bochta aici lag le scanradh ach d'imigh sí an méid a bhí sna cosa céanna abhaile. Gheall sí di féin arís agus arís eile nach bhfágfadh sí Faiche Stiabhna go deo arís go dtí go mbeadh sí in ann eitilt i gceart.

Bhí sí tuirseach traochta faoin am a bhain sí an baile amach. Ach ba chuma léi – bhí sí slán.

Lá arna mhárach chaith an lacha bheag tamall maith den lá ina codladh ar an oileán beag i lár an locháin. Níor chuir aon duine dá comrádaithe isteach ná amach uirthi.

Ach go déanach sa tráthnóna tháinig a máthair chuici agus labhair léi:

'Dúisigh, a iníon bheag. Tá éan strainséartha anseo a deir gur cara leat é.'

Nuair a d'oscail an lacha bheag a súile cé bheadh ina sheasamh os a comhair amach ach a cara nua, an faoileán bán. Nach ar an lacha bheag a bhí an gliondar croí!

'Conas tá mo chara bocht in aon chor?' arsa an faoileán.

'Ó, tá mé tagtha chugam féin arís,' arsa an lacha bheag agus beagán náire uirthi. 'Ach ní fhágfaidh mé an áit seo arís go dtí go mbeidh mé in ann eitilt i gceart.'

'Maith thú, a lacha bheag. Agus tiocfaidh mise ar cuairt chugat gach tráthnóna.'

As sin amach bhí an lacha bheag sona sásta léi féin agus leis an saol.